GERMAN THROUGH READING

3. Alarm bei Nacht

M. E. MOUNTJOY

Head of Modern Languages Department
Dartford Technical High School for Boys, Kent

Illustrated by Gunvor Edwards

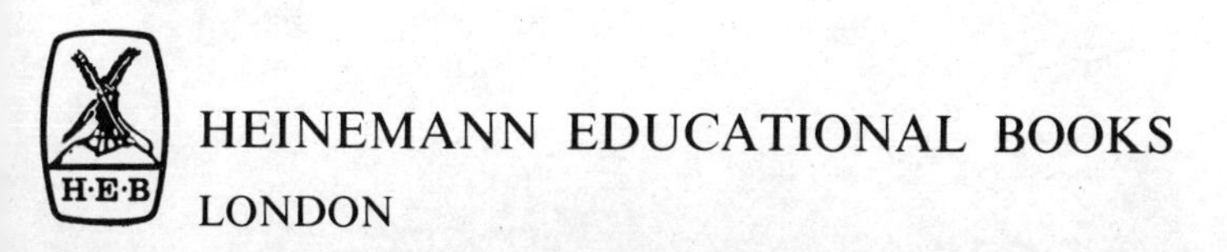

HEINEMANN EDUCATIONAL BOOKS
LONDON

Heinemann Educational Books Ltd
22 Bedford Square, London WC1B 3HH
LONDON EDINBURGH MELBOURNE AUCKLAND
HONG KONG SINGAPORE KUALA LUMPUR NEW DELHI
IBADAN NAIROBI JOHANNESBURG KINGSTON
EXETER (NH) PORT OF SPAIN

ISBN 0 435 38609 3

First published 1977
Reprinted 1979

German through Reading Series
by M. E. Mountjoy

STAGE I

1. Das Haus im Baum
2. Ingrid und Maria

STAGE II

3. Alarm bei Nacht
4. Dagmars Probleme

STAGE III

5. Hitlers Ära
6. Der Weg zu den Sternen

A book of objective tests accompanies the series

Printed in Great Britain by
Richard Clay (The Chaucer Press), Ltd, Bungay, Suffolk

Preface

Teachers of German often find themselves in the difficult position of having to prepare pupils for external examinations in a relatively short space of time.

The pressure of demands on class periods leaves little or no opportunity for private reading in school. This usually has to be done at home. But how well? How much of the text has each pupil grasped? Performance at objective tests printed within the book does not necessarily reflect the true situation, since there may be pooling of the right answers among friends.

The aim of these books is to ensure that each pupil reads and understands, without adding unduly to the teacher's burden in the process. There are six graded readers and a book of objective tests, the latter for use in class only.

The method is for pupils to read the allotted chapter(s) in their own time. They then complete in class, in a few minutes and without reference to the reader, the relevant tests. These are quickly marked by pupils or staff and have the advantage of an immediate score. (The teacher may like to mark the results of a couple of volunteers who then mark the rest.) Most pupils are glad to know at once how well they have done. The teacher can see at a glance who has failed to come up to standard, and enquire why. Personal difficulties and troubles come quickly to light and help may be given without delay. The snowball effect on the pupil whose lack of reading reduces his or her general performance is largely eliminated.

In our experience pupils have become keenly interested in their scores, and many parents have commented particularly at 'at homes' on the trouble taken by their children to get a good score by this method. Its objectivity appeals; they regard it as fair.

The reading programme may cover one year or two; it is designed for one book each half term or one book per term. (Alternatively, pupils in mixed ability classes may work at individual rates.) On completion pupils are better able to cope with comprehension tests, on which increasing emphasis is being placed by examining boards.

The advantages to us have been that pupils do read books from beginning to end and know what is in them. Since questions are *not* included in the reader, the schoolboy method of *beginning* by answering them and reading incidentally, does not apply. Instead, as their facility increases, they acquire the pleasure of reading. In selecting topics which appeal, and by having lively and helpful illustrations, we have tried to make the experience one of pleasure from the beginning.

M. E. Mountjoy

Eins

Peter nimmt seinen Anorak.
„Auf Wiedersehen, Mutti!“

„Was? Ach ja! Es ist Freitag. Du gehst zum Club? Ist es schon 7 Uhr?“
„Fünf nach sieben. Es ist schon spät.“
Peter nimmt sein Fahrrad.

„Vorsicht auf der Straße! Und komm’ nicht zu spät nach Hause!“
„O.K.! Seh’ dich später!“
Peter wohnt in einem kleinen Dorf in

Österreich.
Abends ist im Dorf nicht viel los.
Für Peter ist es langweilig.

Seine Freunde wohnen in der Stadt.
Es sind 8 km vom Dorf in die Stadt.
Peter springt auf sein Fahrrad.

Er fährt in die Stadt, aber er geht
nicht zu einem Club.
Das sagt er aber der Mutter nicht!

Zwei

Es ist sehr dunkel.
Peter fährt durch das Dorf.
Die Straßen sind leer.
Hinter dem Dorf kommt der lange Weg durch den Wald.
Dort ist es sehr dunkel.
Die Bäume sind schwarz, die Straße auch.
Nur das Licht von Peters Fahrrad ist zu sehen.
Der Weg ist sehr hügelig: bergauf, bergab.
Bergauf ist schwer auf einem Fahrrad.
Bergab ist viel besser!
Peter fährt sehr schnell bergab.
Dann kommt die Brücke, eine alte

Brücke über einen kleinen Fluß.
„Nur zehn Minuten, und ich bin in der Stadt“, sagt Peter.
Jetzt ist es halb acht.
„Schon gut!“ denkt Peter. „So spät ist es nicht.“

Er fährt direkt zur Kirche.
Die Kirche heißt St. Annen-Kirche.
Die Mauern sind aus grauem Stein und sehr alt.
Hinter der Kirche ist ein kleiner Friedhof.

Peter stellt sein Fahrrad gegen eine Mauer und geht auf den Friedhof.
Dort ist es sehr still und dunkel.
Die Grabsteine sind grau und kalt.
Der Friedhof ist leer.
Aber, warte mal! Dort ist etwas!

Da, im grauen Schatten hinter einem Grabstein!
„Mark, bist du es?" ruft Peter.
„Peter, du?"
„Ja!"
„Wo?"
„Hier!"

„Wo bist du?"
„Hier, unter dem Baum. Sind die anderen schon da?"
„Ich bin hier mit Mark", sagt Klaus.
„Wir warten auf dich und Dominik.
Ah, da kommt er schon!"
Noch ein Schatten. Das ist Dominik.

Peter kann seine Freunde nicht gut sehen; auf dem Friedhof ist es so dunkel.
Ach ja! Da sind sie!
Sie sitzen auf einem großen Grabstein unter einem Baum.
Sie warten.

Drei

„Na gut! Jetzt sind wir alle hier!“ sagt Klaus.
Peter sitzt auf einem weißen Grabstein. Hinter ihm ist ein Engel aus weißem Stein.
Peter sitzt immer hier.
Es ist wie ein Stuhl.
„Der Stein ist aber kalt!“ sagt er.
„Du kannst auf deinem Anorak sitzen“, sagt Mark.
Peter macht also aus seinem Anorak ein Kissen.
So ist es besser. Die Nacht ist ganz warm.
„Also, wir sind alle hier. Wer beginnt?“
„Du, Klaus?“

„Ich? Nein. Ich komme nach Dominik dran."
„Also, du Dominik."
„Na, gut."
Dominik beginnt....

Was machen denn die Freunde?
Sie erzählen Gespenstergeschichten.
Freitag abend sitzen sie immer auf dem Friedhof und erzählen sich Gespenstergeschichten.

Für so etwas ist der Friedhof ideal.
Er ist leer und still.
Und es ist dunkel.
Die Grabsteine sind wie graue Gespenster.

Die Kirche ist wie ein großer schwarzer Schatten.
Alles ist spukhaft.
Das ist genau die richtige Atmosphäre für Gespenster.

Viel besser als in einem Haus.
Dominik beginnt.
Peter kann seinen Freund nicht sehen, es ist zu dunkel, aber es ist auch besser so.

Und was erzählt Dominik?
Eine Gespenstergeschichte über einen jungen Mann ... und ein Mädchen.
Hier ist die Geschichte. ...

Vier

„Also", beginnt Dominik, „Kurt Meyer ist auf dem Weg nach Hause."
„Das ist der junge Mann?" fragt Klaus.
„Ja."
„Wie alt ist er?"
„Oooh, neunzehn Jahre alt."
„Geht er zu Fuß?"
„Nein, er ist in seinem Auto."
„Was für ein Auto?"
„Ein Sportwagen, rot, italienisches Model."
„Toll!"
„Na, und?"

„Er fährt nach Hause nach einer Party.“
„Wie spät ist es?“
„Viertel nach elf.“
„Ist er allein im Auto?“
„Ja. Die Straßen sind leer. Es ist im Winter, Ende November.“
„Ist es sehr dunkel?“
„Nein. Die Nacht ist klar. Der Mond ist voll. Kurt fährt durch einen Wald. Es ist schön im Mondenschein. Dann kommt er zu einer Brücke über einen Fluß. Das Wasser ist wie Silber. Kurt fährt langsam; es ist ja alles so schön. Plötzlich hört er:
„Hilfe! Hilfe!“

„Wer ruft?"
„Das weiß Kurt nicht."
„Ja, natürlich, aber ist es ein Kind? Ein Mädchen? Ein Mann?"

„Ein Mädchen. Aber Kurt kann es nicht sehen. Er hört nur:
„Hilfe! Hilfe!" Die Stimme kommt vom Fluß. Natürlich hält er sofort an

und springt aus dem Auto.
„Hilfe! Hilfe!" ruft noch immer die Stimme.
Kurt läuft unter die Brücke zum Fluß.

Fünf

Zuerst sieht er nichts.
Der Ruf kommt nochmal vom Wasser.
Der Fluß scheint wie Silber im Mondenschein.
„Mein Gott!" sagt Kurt. „Dort ist etwas! Das Silber da ist kein Wasser, das ist ein Mädchen mit blondem Haar."
„Ist sie tot?" fragt Klaus.
„Du bist aber dumm!" sagt Peter. „Sie ruft ‚Hilfe! Hilfe!' Tot ist sie nicht. Na, und was nun?"
Kurt hilft dem Mädchen aus dem Wasser. Sie trägt ein langes weißes

Kleid. Ihre Hände sind eiskalt.
Kurt will sofort eine warme Jacke aus seinem Auto holen.
„Nein", sagt das Mädchen, „ich wohne hier in dem Haus bei der Brücke.
Bitte, sagen Sie meiner Mutter . . ."

„Wie heißen Sie?" fragt Kurt schnell.
„Elisabeth, Elisabeth Schwarzberg."
„Einen Moment!"
Kurt läuft zum Haus. Er klopft wie wild an die Tür.
Das Haus liegt still im Mondenschein.

Ist es leer?
Nein. Oben ist jetzt ein Licht.
Eine Frau kommt zum Fenster.
„Ja, was ist denn? Was ist los?" ruft sie.
„Elisabeth ist unten beim Fluß. Sie ist. . . ."

„Elisabeth? Wer ist Elisabeth?“
„Elisabeth Schwarzberg. Sie sind wohl Frau Schwarzberg?“
„Nein!“
„Aber. . . . Frau Schwarzbert wohnt hier?“
„Nein!“
„Wo wohnt Frau Schwarzberg, bitte?“
„Das weiß ich nicht. Ich kenne keine Familie Schwarzberg.“
„Also bitte, wo ist das nächste Haus?“
„Oooooh, drei, vier kilometer von hier.
Warum fragen Sie?“
„Ich suche die Familie Schwarzberg. Die Tochter Elisabeth ist unten beim Fluß.“
„Bringen Sie sofort das Mädchen her! Ich komme gleich“, sagt die Frau.

Sechs

Kurt läuft zum Fluß zurück.
Das Mädchen ist nicht da!
Kurt ruft: „Elisabeth! Fräulein
Elisabeth!“
Keine Antwort!
Er sucht im Wasser.
Sie ist nicht da.
Wo kann sie wohl sein?
„Mein Gott!“ sagt Kurt.
Wie wild läuft er am Fluß auf und ab.
Eine halbe Stunde lang sucht er.
Aber das Mädchen findet er nicht.
Kurt geht zum Haus zurück.

„Kommen Sie herein. Wo ist das Mädchen?“ sagt die Frau.
Sie ist jetzt nicht allein.
Im Zimmer sind auch der Mann, die Großmutter, der Großvater und eine sehr alte Dame. Alle sind in Nachtkleidern.
„Kommen Sie herein, Herr ... Herr ... ?“
„Meyer ...“, sagt Kurt. „Kurt Meyer.“
Er muß alles erzählen.

Am Ende der Geschichte ist es sehr still im Zimmer.
Dann sagt die alte Dame langsam:
„Gehen Sie zum Friedhof, junger Mann!
Dort ist ein Grabstein mit dem Namen

Schwarzberg ... Elisabeth Schwarzberg. Im Dorf sprechen die alten Damen noch immer über Elisabeth ... ein schönes Mädchen mit langem blonden Haar und einem weißen Kleid. Am ersten November kommt sie immer nachts zum Dorf zurück."

„Aber wir haben jetzt Ende November", sagt Kurt.

„Mädchen sind immer so", sagt der Großvater, „sie kommen immer zu spät."

„Geht Kurt zum Friedhof?" fragt Mark.

„Ja, am nächsten Tag."

„Und findet er den Grabstein?"

„Ja, mit den Worten:

Elisabeth Schwarzberg
geb. 15. Januar 1799

gest. 1. November 1816."
„Und das ist das Ende der Geschichte?"
„Nicht ganz. Später fährt Kurt in die Stadt ins Museum. Dort sieht er ein Bild von Elisabeth, das genau so aussieht wie das Mädchen im Wasser. Und in einem Buch im Museum liest er von Elisabeths tragischem Ende ... im Fluß."
Dominiks Geschichte ist zu Ende.

Auf dem St. Annen-Friedhof ist alles still und dunkel.
„Was ist das?" fragt Klaus.
„Regen", sagt Peter. „Es regnet. Schade! Wir müssen sofort nach Hause."

Sieben

Am nächsten Tag regnet es noch immer. „Regen, Regen, immer Regen!“ sagt Peters Vater.
„Was für ein Wetter!“ sagt die Mutter. „Was für ein Unwetter!“ sagt Peter. „Und heute müssen wir zum Onkel Fritz. So eine lange Fahrt!“
Für Peter ist die Fahrt zum Onkel Fritz immer langweilig. Bei Onkel Fritz ist es auch langweilig. Und jetzt regnet es!
Es regnet den ganzen Tag.
Auf der Fahrt nach Hause regnet es

noch immer.
„Nur noch eine halbe Stunde, und wir sind zu Hause", sagt die Mutter.
„Wo sind wir jetzt?" fragt der Vater. „Ich kann nicht gut sehen."

„Im Wald", sagt Peter. „Wir kommen gerade zu der alten Brücke."
Dann: „Halt Vati! Halt! Halt!"
„Da auf der Straße! Da ist etwas! Was ist es?" schreit die Mutter.

Vor dem Auto ist eine große, graue Figur.
„Ein Gespenst!" schreit Peter. „Es ist ein Gespenst. Da bei dem Baum!"
Der Vater hält sofort an.

„Mein Gott!“ sagt die Mutter. Sie ist ganz weiß. „Was ist es denn?“
Der Vater sagt nichts.
Im Wagen ist alles still.
Das Gespenst tanzt wieder vor dem Auto.

Langsam, sehr langsam, fährt der Vater vorwärts.
„Paß auf, Vati! Paß auf! Du . . . du . . .“
Das Gespenst ist noch immer da. Es ist groß und wild und grau.
Es tanzt vor dem Auto und bewegt wie wild die Arme.
„Warten wir einen Moment im Wagen“, sagt die Mutter.
Aber das Gespenst geht nicht weg.
Drei Minuten, vier Minuten, fünf Minuten warten sie.

Aber der Spuk ist immer noch da.
„Wir warten nicht länger!“ sagt der Vater, und er springt aus dem Auto.
„Paß auf, Vati!“ schreit Peter.
Das Gespenst bewegt wie wild die Hände.

„Warte, Vati, ich komme mit!“ sagt Peter.
„Ich auch“, sagt die Mutter.“ Ich bleibe nicht allein hier!“
Der Vater ist schon aus dem Wagen.

„Halt!“ schreit er, „Sofort halt!“
Gerade vor seinen Füßen sieht Peter das schwarze, stürmische Wasser des Flusses.
Die Brücke ist nicht mehr da!

Acht

Am nächsten Tag ist das Wetter wieder schön.
„Jetzt scheint die Sonne?“ sagt die Mutter. „Nach einem Sturm ist es immer so: schön und warm. Auf Regen folgt Sonnenschein.“
Das Auto steht vor dem Haus. Natürlich ist es sehr schmutzig.

„Ach, wie schmutzig!“ sagt die Mutter, „das kommt von dem Sturm.“
„Na gut, also putzen“, sagt der Vater.
„Du auch, Peter, wir müssen putzen.“
„Ich bringe sofort Wasser.“

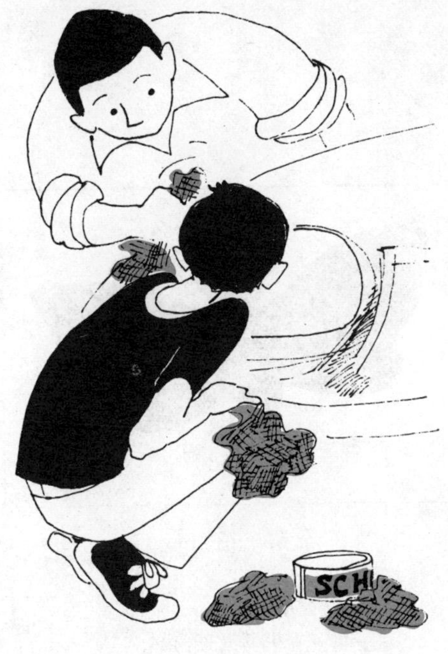

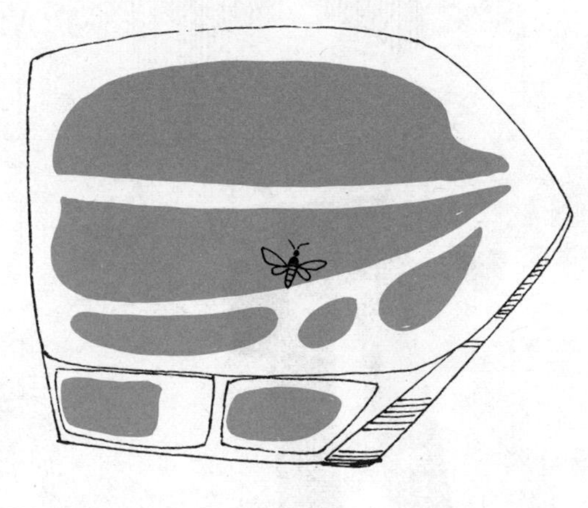

„Schon gut!“
Im Sonnenschein putzen sie vor dem Haus das Auto.
„Jetzt das Chrom“, sagt Peter.
Bald scheint das Chrom wie Silber.

Peter putzt die Scheinwerfer.
„Vati!“ ruft er, „Hier bitte, komm’ her. Da ist etwas!“
„Wo?“
„Hinter dem Glas des Scheinwerfers.“

„Was ist es?“
„Ein Insekt . . . ein kleines Insekt.“
„Es ist eine Motte, eine kleine, graue Motte.“
„Da haben wir das Gespenst!“

„Bring' das Auto in die Garage. Hier in der Sonne können wir nichts sehen. Dort ist es dunkel. Dann können wir ‚das Gespenst' besser sehen."
Langsam fährt Peter das Auto in die Garage.
Jawohl! Im Licht der Scheinwerfer tanzt das Gespenst an der Mauer.
„Mutti, komm' her! Hier haben wir das Gespenst von der Brücke!"

„So was! Ein Insekt! Ein kleines Insekt! Aber Dank der Motte sind wir noch am Leben!"
„Komisch", sagt Peter. „Das ist aber sehr komisch!"

Vocabulary

Abend (*m*): evening
abends: in the evening
aber: but, however; I say
ach: oh
acht: eight
alle: all
alles: everything
allein: alone
als: than
also: thus, therefore
alt: old
an: on
andere: others
anhalten: to stop
Antwort (*f*): answer
Arm (*m*): arm
Atmosphäre (*f*): atmosphere
auch: too, as well
auf: on
auf und ab: up and down
aufpassen: to look out, to watch
aus: from, out
aussehen: to look
Auto (*n*): car

bald: soon
Baum (*m*): tree
bei: at, with
beim = *bei dem*
beginnen: to begin
bergab: downhill
bergauf: uphill
besser: better
bewegen: to move
Bild (*n*): picture
bitte: please
bleiben: to move
bringen: to bring
Brücke (*f*): bridge
Buch (*n*): book

da: there
Dame (*f*): lady
Dank (*m*): thanks
dann: then
das: that
denken: to think
denn: then
direkt: direct
Dorf (*n*): village
dort: there
dran = *daran*: at it, by it
ich komme dran: it is my turn
drei: three
du: you
dumm: stupid
dunkel: dark
durch: through

ein: a, one
eiskalt: ice cold
elf: eleven
Ende (*n*): end
Engel (*m*): angel
er: he
erste: first
erzählen: to tell
es: it
etwas: something
so etwas: such a thing

fahren: to drive
Fahrt (*f*): drive
Fahrrad (*n*): bicycle
Familie (*f*): family
Fenster (*n*): window
Figur (*f*): figure
finden: to find
Fluß (*m*): river
folgen: to follow
fragen: to ask
Frau (*f*): Mrs, woman
Fräulein (*n*): Miss, young lady
Freitag (*m*): Friday
Freund (*m*): friend
Friedhof (*m*): cemetery
fünf: five
Fuß (*m*): foot
zu Fuß gehen: to go on foot, walk
für: for

ganz: quite
geb. = *geboren*: born
gegen: against
gehen: to go
genau: exact
gerade: just
Geschichte (*f*): story
Gespenst (*n*): ghost
Gespenstergeschichte (*f*): ghost-story
gest. = *gestorben*: died

Glas (*n*): glass
gleich: instantly
Grabstein (*m*): gravestone
grau: grey
groß: big
Großmutter (*f*): grandmother
Großvater (*m*): grandfather
gut: well, good
 schon gut: never mind

Haar (*n*): hair
haben: to have
halb: half
halt: stop, halt
Hand (*f*): hand
Haus (*n*): house
 nach Hause: (to go) home
 zu Hause: at home
heißen: name to be called
helfen: to help
her: here
herbringen: to bring here
herein: in
Herr (*m*): Mr, gentleman
heute: today
hier: here
Hilfe (*f*): help
hinter: behind
holen: to fetch
hören: to hear
hügelig: hilly

ich: I
immer: always
in: in, to
im=*in dem*
Insekt (*n*): insect
italienisch: Italian

ja: yes
Jacke (*f*): jacket
Jahr (*n*): year
Januar (*m*): January
jawohl: yes, indeed
jetzt: now
jung: young

kalt: cold
kein: no
kennen: to know
Kind (*n*): child
Kirche (*f*): church
Kissen (*n*): cushion
klar: clear
Kleid (*n*): dress
klein: small, little
klopfen: to knock
km=*Kilometer* (*m*): kilometre
komisch: strange
kommen: to come
können: can, to be able

lang: long
länger: longer
langsam: slow
langweilig: boring
laufen: to run
Leben (*n*): life
 am Leben sein: to be alive
leer: empty
lesen: to read
Licht (*n*): light
liegen: to lie
los: free, away
 es ist nicht viel los: not much is going on
 was ist los: what is the matter

machen: to make, to do
Mädchen (*n*): girl
mal: just
Mann (*m*): man, husband
Mauer (*f*): wall
mit: with
mitkommen: to come along with
Modell (*n*): model
Mond (*m*): moon
Mondenschein (*m*): moonlight
Motte (*f*): moth
müssen: must, to have to
Mutti, *Mutter* (*f*): mother

na: well, now
nach: past, after
näcjste: next
Nacht (*f*): night
nachts: at night
Nachtkleid (*n*): nightdress
natürlich: of course
nehmen: to take
nein: no
neunzehn: nineteen
nicht: not
nicht mehr: no longer
nichts: nothing
noch: still

noch immer: still
noch ein: another
nochmal: again, once more
nur: only
nur noch: still

oben: upstairs
Onkel (*m*): uncle
Österreich (*n*): Austria

plötzlich: suddenly
putzen: to clean

Regen (*m*): rain
regnen: to rain
auf Regen folgt Sonnenschein: after rain comes sunshine
richtig: right
rot: red
rufen: to call
Ruf (*m*): call

sagen: to say
schade: what a pity
Schatten (*m*): shadow
scheinen: to shine
Scheinwerfer (*m*): head lamp
sitzen: to sit
schmutzig: dirty
schnell: fast, quick
schon: already
schon gut: never mind
schön: beautiful
schreien: to scream, to shout
schwarz: black
schwer: difficult
sehen: to see
sehr: very
sein: his, its
sein: to be
sie: they
Sie: you
sieben: seven
Silber (*n*): silver
so: so, like that
so was: of all things
sofort: at once, immediately
Sonne (*f*): sun
Sonnenschein (*m*): sunshine
spät: late
später: later
Sportwagen (*m*): sports car
sprechen: to speak
springen: to jump
Spuk (*m*): spook
spukhaft: weird, ghostly
Stadt (*f*): town
stehen: to stand
Stein (*m*): stone
stellen: to put, to place
still: quiet
Stimme (*f*): voice
Straße (*f*): road
Stuhl (*m*): chair
Stunde (*f*): hour
Sturm (*m*): storm
stürmisch: stormy
suchen: to look for, to search for

tanzen: to dance
Tochter (*f*): daughter
toll: super
tot: dead
tragen: to wear
tragisch: tragic
Tür (*f*): door

über: over, about
Uhr (*f*): clock, watch
7 Uhr: 7 o'clock
und: and
unten: down
unter: under
Unwetter (*n*): stormy weather

Vati, *Vater* (*m*): father
viel: much
vier: four
viertel: quarter
voll: full
von: from, of
vom = *von dem*
vor: in front of
vorsicht: take care, look out
vorwärts: forward

Wagen (*m*): car
Wald (*m*): forest
was: what
was nun: what now
was für ein: what sort of, what a
was ist los: what is the matter
warten: to wait
warum: why
Wasser (*n*): water

Weg (*m*): path, way
weg: away
weiß: white
wer: who
Wetter (*n*): weather
wie: as, like; how
wieder: again
auf Wiedersehen: good bye

wild: mad
wir: we
wissen: to know
wo: where
wohl: I suppose, possibly
wohnen: to live
wollen: to want, to wish
Wort (*n*): word

zehn: ten
Zimmer (*n*): room
zu: to; too
zum = *zu dem*
zur = *zu der*
zuerst: at first
zurück: back